KB138195

은유
워크북

북클럽 은유-특별 부록

은유
워크북

김유림 · 김창한 지음
김용규 감수

천년의상상

은유의 말들

은유는 천재의 표상이다.

— 아리스토텔레스

일상적인 낱말은 우리가 이미 알고 있는 것만을 전달한다.

생생한 어떤 것에 이르는 최선의 길은 은유를 통하는 것이다.

— 아리스토텔레스, 《수사학》, 1410b

무엇보다도 위대한 것은

은유의 주인이 되는 것이다.

— 아리스토텔레스

그림이 천 개의 낱말만큼 가치가 있다면
은유는 천 개의 그림만큼 가치가 있다.

— 조지 레이코프 & 마크 존슨

시에서 사용되는 은유적 사고라는 동일한 기제가 일상적인 개념,
즉 시간, 사건, 인과관계, 정서, 윤리학, 사업 등에서도 마찬가지로
나타난다.

— 조지 레이코프

은유는 일상 언어에서 드러나는 것과는
다른 현실의 장을 발견하고 열어 밝혀주는 데 기여한다.

— 폴 리쾨르

차례

I. 은유 기본 개념 정리

II. 은유적 사고력 향상 실전 문제

I

은유 기본
개념 정리

은유란 무엇인가

은유에 대해 최초로 정의를 내린 아리스토텔레스Aristoteles, 기원전 384~기원전 322는 《시학》에서 은유를 "어떤 것에다 다른 낯선allotrios 어떤 것에 속하는 이름을 옮겨놓는 것epiphora"(《시학》, 21)이라고 규정했다. 얼핏 보면 어려운 말 같지만, 아니다. 우선 '내 마음은 호수요'를 보자. 호수는 '사면이 육지로 싸이고 땅이 우묵하게 들어가 물이 괴어 있는 장소'의 이름이다. 그 때문에 내 마음에는 '낯선' 다시 말해 '전혀 무관한' 또는 '어울리지 않는' 이름이다. 그것을 내 마음에다 옮겨놓음으로써 내 마음의 평온함과 고요함을 표현한 것이 '내 마음은 호수'라는 은유적 표현이다.

오늘날 어문학자들은 말을 조금 바꿔 은유를 '보조관념vehicle을 통해 원관념tenor을 나타내는 표현법'으로 정의한다. 역시 어려운 말이 아니다. '내 마음은 호수요'에서는 '마음'이 원관념이고 '호수'가 보조관념이다. 눈에 보이지 않아 말로 표현하기 어려운 마음의 고요함과 평온함을 눈에 보이는 호수의 잔잔함을 통해 표현했다. 이런 작업을 형상화imaging라고 한다. 은유의 생명은 이처럼 '보조관념으로 형상화된 이미지'에 있는 것이다.

이어지는 '내 마음은 촛불이요'도 마찬가지다. 이 은유는 사랑이 불타오를수록 조바심 나는 내 마음을 바람이 조금만 불어도 흔들리는 '촛불'로 형상화하여 보여준다. '내 마음은 나그네요'에서는 사랑할수록 쓸쓸해지는 마음을 '나그네'로, '내 마음은 낙엽이요'에서는 사랑이 이미 식어 이별을 준비하는 마음을 '낙엽'으로 각각 형상화하여 선명한 이미지로 보여준다. 그럼으로써 은유는 원관념이 '지시하는 내용' 또는 작가나 화자話者가 '의도하는 의미'—이 책에서는 그것을 원관념의 '본질essence'이라 하자—를 보조관념을 통해 이해하게 한다. 이것이 은유다!

그런데 20세기 후반에 조지 레이코프George Lakoff와 마크 존슨Mark Johnson의 《삶으로서의 은유》(1980)가 출간된 이후, 인지언어학자들에 의해 은유에 대한 새롭고 다양한 정의들이 추가되었다. 그중 대표적인 것이 레이코프가 1994년에 발표한 논문 〈은유란 무엇인가?〉에서 규정한 것인데, 여기에서 그는 은유를 "어떤 하나의 정신적 영역을 다른 정신적 영역에 의해 개념화하는 방식"이라고 규정했다. 그리고 기존의 어문학자들이 원관념이라고 부르던 것을 '목표영역Target Domain'이라 하고, 보조관념이라고 부르던 것을 '근원영역Source Domain'이라 일컫는다. '내 마음은 호수요'에서는 '마음'이 목표영역이고 '호수'가 근원영역이다. 학자들은 이 새로운 주장을 보통 개념적 은유 이론conceptual metaphor theory이라고 부른다.

무언가 또 머리에 쥐가 나게 하는 이야기 같지만, 역시 어려운 게 아니다! 이를테면 '내 마음은 호수요'는 심리적 영역에 속하는 '내 마음'을 물리적 영역에 속하는 '호수'로 개념화한 은유적 표현이라는 뜻이다. 따라서 얼핏 보면 현대 인지언어학자들의 은유에 대한 정의가 "어떤 것에다 다른 낯선 어떤 것에 속하는 이름을 옮겨놓는 것"이라는 아리스토텔레스의 정의나 '보조관념을 통해 원관념을 나타내는 표현법'이라는 현대 어문학자들의 수사학적 정의와 크게 다를 것이 없어 보인다. 그런데도 이들 사이에는 분명한 차이가 존재한다.

은유에 관한 기존의 수사학적 정의들과 현대 인지언어학적 정의 사이의 결정적 차이는 아리스토텔레스가 '이름'이라고 한 그 자리에 '정신적 영역'이라는 용어를 가져다놓고, 오늘날 어문학자들이 '표현법'이라고 규정한 것을 '개념화하는 방식'이라는 말로 바꾸어놓은 것에서 나온다. 그럼으로써 이 새로운 이론은 은유를 '언어의 문제'가 아니라 '사고의 문제'로, '표현 방식'이 아니라 '개념화 방식'으로, '수사법의 한 형식'이 아니라 '정신의 보편적 형식'으로 바꿔놓았다. 그 결과 은유(내 마음은 호수다)는 동일률(내 마음은 내 마음이다)과 모순율(내 마음은 내 마음이 아닌 것이 아니다)에 이어 인간 정신의 원초적이고 근본적인 사고 패턴 가운데 중요한 하나가 되었다.

수사학적 정의	인지언어학적 정의
언어의 문제	사고의 문제
표현 방식	개념화 방식
수사법의 한 형식	정신의 보편적 형식

도식1

은유를 떠받치는 두 기둥

원관념과 보조관념 사이의 유사성과 비유사성이 은유를 떠받치는 두 개의 기둥이자, 은유가 지닌 능력들이 솟아나는 샘물이다. 둘 사이의 유사성에 의해서 이해와 설득이 이뤄지고, 비유사성에 의해서 창의가 생성되기 때문이다. 달리 말하자면 원관념과 보조관념 사이의 유사성이 강할수록 이해력과 설득력이 높아지고, 비유사성이 클수록 창의력이 강해진다.

이 말은 은유적 표현을 만들 때, 다른 무엇이 아니라 원관념과 보조관념 사이에 존재하는 유사성과 비유사성, 둘 모두가 강해지도록 고려해야 한다는 것을 뜻한다. 점검해보면 알겠지만, 앞에서 살펴본 것들이 모두 탁월한 예다. 하지만 우리가 경탄하는 또 하나의 모범적인 은유 표현을 꼽자면, 영국의 문호 윌리엄 셰익스피어William Shakespeare, 1564~1616의 역사극 《루크리스의 능욕》에 나오는 "시간은 민첩하고 교활한 파발마"(925행)를 들 수 있다.

파발마擺撥馬는 급히 소식을 전달하는 사람이 타던 말을 가리킨다. 이 은유에도 원관념인 '시간'과 보조관념인 '파발마' 사이에는 '빠르다'라는 강한 유사성이 들어 있다. 하지만 그게 다가 아니다. 보조관념인 '파발마'에는 원관념인 시간에는 전혀 낯선 '소식을 전하다', '소문을 퍼뜨리다'라는 비유사성이 함께 들어 있다. 원관념인 시간에서는 도저히 나올 수 없는 생각이다. 이 높은 비유사성 때문에 셰익스피어의 은유가 '시간은 민첩하고 교활하게 소문을 퍼뜨린다'라는 매우 새롭고 신선한 의미를 창조해냈다. 그렇지 않은가?

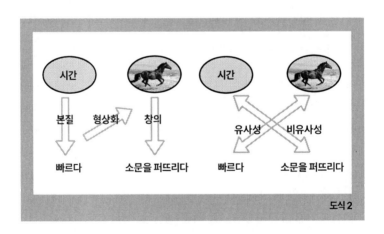

도식 2

그렇다면 이제 우리는 은유적 표현을 만들어내는 의식적이고 의지적인 사고과정을 다음과 같이 추적해 순차적으로 정리할 수 있다.

1) **본질 규정하기**: 먼저 원관념을 통해 전하고자 하는 내용, 곧 원관념의 본질을 규정한다.

예) 시간이라는 원관념의 본질을 '빠르다'로 정한다.

2) **형상화하기**: 그다음, 원관념의 본질과 높은 유사성을 지닌 이미지로 형상화된 보조관념을 떠올린다.

예) '빠르다'라는 '시간'의 본질과 높은 유사성을 지닌 '파발마'로 형상화한다.

3) **창의 이끌어내기**: 보조관념이 지닌 원관념과의 비유사성에서 새로운 생각을 이끌어낸다.

예) 시간은 소문을 퍼뜨린다.

은유 도식의 두 가지 형식

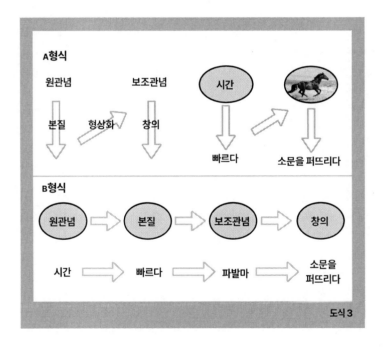

도식 3

이 책은 앞으로 은유 패턴을 지금까지 해온 A형식뿐 아니라, 그보다 간단한 B형식으로도 나타낼 것이다. 그리고 그 둘을 '은유 도식metaphorical diagram'이라 칭하고, 우리가 은유적 표현을 분석하고, 또 직접 만들어 활용하는 기본 패턴으로 삼고자 한다.

I.

은유 도식 훈련 유형

우리가 앞에서 정리한 은유 도식에는 아래에서 보듯이 네 가지 요소가 있다. 원관념, 원관념의 본질, 보조관념, 창의가 그것이다. 빈칸-채우기는 이 은유 도식의 각 요소 전부 또는 일부를 빈칸으로 만들어놓고 그것을 당신이 차례로 채워가는 훈련을 말한다.

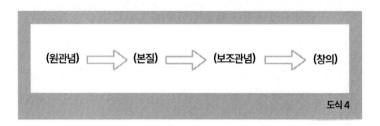

(원관념) ⟹ (본질) ⟹ (보조관념) ⟹ (창의)

도식 4

당신이 자주 만나게 될 은유적 표현에는 (a), (b), (c), (d) 네 가지 유형이 있다. (a)는 원관념과 보조관념이 드러나 있는 표준 유형이고, (b)는 원관념과 원관념의 본질만, (c)는 원관념만, (d)는 보조관념만 드러나 있는 경우다. 이들 유형의 도식이 무엇을 뜻하는지를 조금 더 자세히 설명하자면 다음과 같다.

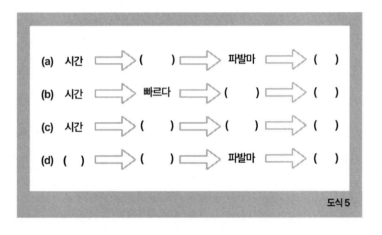

도식 5

1) 우리는 표준 유형 (a)를 충분히 보아왔고 그것을 분석해 도식을 만드는 방법도 이미 여러 번 경험해서 알고 있다. 하지만 되새기는 의미에서 정리하자면, 원관념의 본질이 들어가야 할 첫 번째 빈칸은 원관념(시간)과 보조관념(파발마) 사이의 유사성

(예: 빠르다)을 찾아 채워야 한다. 그리고 창의가 들어갈 두 번째 칸에는 보조관념인 파발마에서 이끌어낸 새로운 생각(예: 소식을 전한다)으로 채워야 한다. 이것이 우리가 은유적 표현을 만날 때마다 하는 통상적인 분석작업이다.

2) 유형(b)를 보자. 원관념이 시간이고 그것의 본질이 이미 '빠르다'로 정해져 있다. 따라서 보조관념과 창의가 들어갈 빈칸을 채워야 하는데, 당신은 '빠르다'라는 시간의 본질을 예컨대 '화살'로 형상화할 수 있다. 활시위를 떠난 화살은 파발마보다도 빠르기 때문이다. 그러면 당신은 '시간은 화살이다'라는 은유적 표현을 얻을 것이고, 그것에서 '정신 바싹 차려라', '허송세월하지 마라'와 같은 창의를 자연스레 이끌어낼 수 있을 것이다. "세월이 쏜살같다"라는 옛사람의 말이 이 같은 은유적 사고의 산물이다.

3) 이번에는 유형(c)를 보자. 원관념만 주어져 있을 뿐, 원관념의 본질, 보조관념, 창의로 이어지는 은유 도식의 나머지 세 단계가 모두 비어 있다. 이 경우 당신은 원관념인 '시간'의 본질이 무엇인지, 다시 말해 '시간'이라는 원관념을 통해 당신이 전하려

는 내용이 무엇인지를 먼저 정하고, 그 본질을 형상화한 이미지를 보조관념으로 선정하고, 그 보조관념과 원관념의 비유사성에서 창의를 이끌어내야 한다. 이것이 유형(c)와 함께 당신이 해야 할 실습인데, 사실상 은유적 표현을 만들려는 사람이 매번 해야 하는 작업이다.

예를 들어, 만일 당신이 원관념인 시간의 본질을 '빠르다'가 아니고 '흐른다'로 정한다면, 그것으로 첫 번째 빈칸을 채워 넣는 것이다. 그리고 그것을 형상화한 '강물'이라는 보조관념으로 두 번째 빈칸을 채울 수 있을 것이다. 그럼으로써 당신은 '시간은 강물이다'라는 은유적 표현을 얻을 것이고, 그것으로부터 '되돌릴 수 없다'나 '허무하다'라는 새로운 생각을 이끌어내 세 번째 빈칸을 메울 수 있다. "세월이 유수流水와 같다"라는 옛말이 그렇게 나온 것인데, 알고 보면 우리가 자주 사용하는 격언이나 속담 중에는 이 같은 은유적 사고의 산물이 숱하다.

4) 다음은 보조관념만 드러나 있는 (d)유형인데, 얼핏 보기에는 매우 생소하고 특이하다. 그래서 보조관념만 드러난 은유적 표현이 어디 있느냐 싶을 수도 있다. 그러나 아니다. 당신은 이런 표현물을 매일 접하고 있다. 그것이 뭐냐고? 교통표지판, 지

하철노선도, 일기예보도, 다이어그램 같은 인포그래픽은 물론이거니와 회화, 조각, 음악, 무용 같은 예술작품이 바로 제작자가 전하고자 하는 또는 작가가 표현하고자 하는 원관념의 본질을 형상화한 보조관념이다.

은유 도식을 사용한 동시·동요 만들기

백문이 불여일견이다! 그래서 여기에서는 동시를 하나 함께 만들어 가며, 은유적 표현을 만드는 일반적인 비법을 공개하려고 한다.

1. 맨 먼저 할 작업이자 핵심 비결은 '질문으로 도와줘라'다. 누구를 돕냐고? 창작자를 도와주어라. 만일 당신이 시나 노랫말과 같은 은유적 표현을 만들려면, 당신 자신에게 질문을 던져야 하고, 아이와 함께 동요를 만들려면, 아이에게 질문을 던져 아이를 도와줘야 한다. 무슨 질문을 던지냐고? 당연히 은유 도식의 빈칸을 채우는 질문을 던져야 한다.

1) 먼저 "무엇을 이야기하고 싶어?", "무엇을 노래하고 싶어"처럼 표현하고 싶은 대상, 곧 원관념에 대해 여러분 자신에게 또

는 아이에게 물어야 한다. 그래서 답이 "여름비에 대해서"라고 되돌아오면, 그것을 원관념으로 정한다.

2) 다음에는 "여름비 하면 뭐가 생각나?", "여름비는 뭐와 닮았어?"와 같은 질문으로 여러분 또는 아이가 원관념을 형상화하는 것을 도와야 한다. 그래서 아이가 가령 "여름에 오는 비는 화가 같아"라고 답하면, 그것이 보조관념이다.

3) 그다음에는 "왜?", "왜 그렇게 생각해?"와 같이 역시 여러분 자신에게 또는 아이에게 그 이유를 물어야 한다. 그랬더니 답이 "하늘에 무지개를 그리니까"라고 돌아오면, 그것이 원관념과 보조관념 사이의 유사성, 곧 원관념의 본질이다.

4) 마지막에는 "그럼, 무지개를 보면 무슨 생각이 나?", "무슨 느낌이 들어?"와 같은 질문으로 창의를 물어야 한다. 그래서 "물감은 어디에서 샀을까 궁금해"라는 답이 나오면 그것이 원관념인 '여름비'가 아니라 '화가'라는 보조관념에서만 끌어낼 수 있는 창의다.

이런 질문들을 통해 당신과 당신의 아이는 은유적 사고를 구성하는 4요소를 완성한 것이다! 그 과정을 알아보기 쉽게 도식화하면 다음과 같다.

아이와 함께 동시, 동요 짓는 법

1. 질문으로 도와주어라!

1) 표현하고 싶은 개념/주제(원관념)를 물어라!

   Q "무엇에 대해 이야기하고 싶어?", "무엇을 노래하고
   싶어?"

   A "여름에 오는 비에 대해."

2) 형상화를 도와 보조관념을 선정하게 물어라!

   Q "여름비 하면 뭐가 생각나?", "여름비는 뭐와 닮았어?"

   A "여름에 오는 비는 화가 같아."

3) 보조관념 선정 이유를 물어라!

   Q "왜?", "왜 그렇게 생각해?"

   A "하늘에 무지개를 그리니까."

4) 보조관념에서 창의를 끌어내게 물어라!

   Q "무지개를 보면 무슨 생각이 나?"

   A "물감은 어디에서 샀을까 궁금해."

2. 그다음에는 빈칸으로 구성된 은유 도식에 4가지 요소(원관념, 본질, 보조관념, 창의)를 차례로 채워 넣어 은유적 사고를 완성한다.

2. 은유 도식을 만들어라!

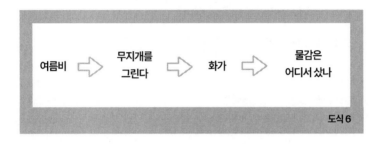

도식 6

3. 다음은, 이렇게 만들어진 은유적 사고에다 '살-붙이기'(반복하기, 순서 바꾸기, 은닉하기, 설명 끼워 넣기 등)를 하면 동시가 되고, 그것에다 곡을 붙이면 동요가 된다. 동시나 동요는 대개 짧기 때문에 은유적 사고를 차례로 늘어놓기만 해도 완성되는 경우도 많다. 이 과정을 역시 도식화하면 다음과 같다.

3. 살 붙이기를 하라!

순서 바꾸기, 반복하기, 설명구 넣기, 은닉하기 등

여름비

여름비가 하늘에 무지개를 그렸다

여름비는 하늘나라 화가인가보다

여름비야, 너는

어디서 크레파스를 샀니?

하늘나라 학교 앞에도 문방구가 있니?

위에 완성된 동시 〈여름비〉는 원관념과 그것의 본질 그리고 보조관념을 차례로 늘어놓은 다음, 아이의 상상력을 약간 변형해 창의로 실어놓았다. 제목은 원관념이나 보조관념을 제목으로 삼는 경우가 보통이다. 그래서 그냥 '여름비'라고 붙여보았다.

이것을 그대로 두면 동시이지만, 여기에 곡을 붙이면 동요가 되는데, 요즈음에는 그것이 무척 쉬워졌다. 음악을 만들어 주는 생성형 AI가 많이 생겼기 때문이다. 생성형 AI는 잘만 다루면, 가사에 꼭 맞는 곡을 '뚝딱' 만들어준다.

어떤가? 그리 어렵지 않다! 자, 그럼 당신도 한번 시도해보길 바란다. 누가 아는가, 혹시 당신과 아이가 이런 방식으로 작업해 '아기 상어'처럼 대박이 나는 동요를 만들어 낼지도?

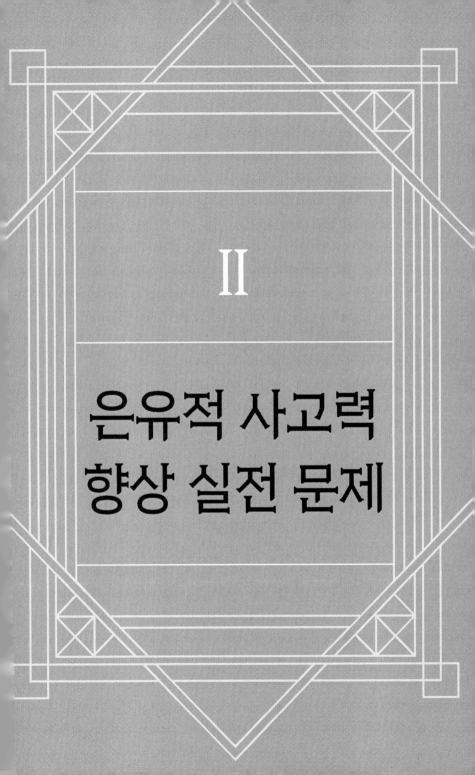

II

은유적 사고력
향상 실전 문제

실전 문제 - 시와 은유

앞서 은유의 기본 개념을 복습하셨으니, 이제 실습을 할 차례입니다. 은유 도식의 빈칸을 채워 보세요.

1.

한 해 중 그런 계절을 그대는 내게서 보리라,

전엔 예쁜 새들이 노래했지만 이젠 황폐한 성가대석,

추위를 견디며 흔들리는 그 가지들 위에

누런 잎들 하나 없거나 거의 남아 있지 않은 계절을.

내게서 그대는 보리라, 해가 진 후

서녘에서 스러지는 그런 날의 황혼을,

만물을 휴식 속에 밀봉해버리는 죽음의 분신인

시커먼 밤이 조금씩 앗아가는 황혼을.

내게서 그대는 보리라, 불타오르게 해준 것에

다 태워져, 꺼질 수밖에 없는

임종의 자리처럼, 제 젊음의 재 위에

누워 있는 그런 불의 희미한 가물거림을.

그대가 이것을 알아차리면 그 사랑 더 강해져,

그대가 머지않아 잃을 수밖에 없는 그것을 더욱 사랑하게 되리라.

— 윌리엄 셰익스피어, 《소네트》 73

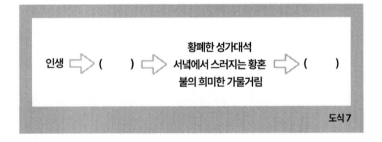

도식 7

2.

자본주의

형형색색의 어둠 혹은

바다 밑으로 뚫린 백만 킬로의 컴컴한 터널

— 여길 어떻게 혼자 걸어서 지나가?

문학

길을 잃고 흉가에서 잠들 때

멀리서 백열전구처럼 반짝이는 개구리 울음

— 진은영, 〈일곱 개의 단어로 된 사전〉 부분

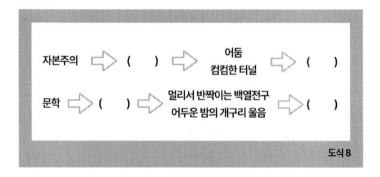

도식 8

3.

누구든, 그 자체로서 온전한 섬은 아니다. 모든 인간은 대륙의 한 조각이며, 대양의 일부이어라. 만일 흙덩이가 바닷물에 씻겨 내려 가면, 유럽은 그만큼 작아지며, 만일 모래톱이 그리되어도 마찬가 지, 그대의 친구들이나 그대 자신의 땅이 물에 잠겨도 마찬가지니 라. 어느 사람의 죽음도 나를 감소시킨다. 왜냐하면 나는 인류 속에 포함되어 있기 때문이다. 그러니 누구를 위하여 종이 울리는지 알 려고 사람을 보내지 마라. 종은 바로 그대를 위해 울리느니.

—존 던, 〈누구를 위하여 종은 울리나〉

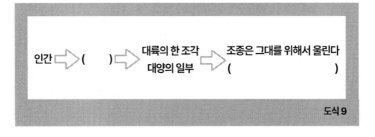

인간 ⇨ ( ) ⇨ 대륙의 한 조각 대양의 일부 ⇨ 조종은 그대를 위해서 울린다 ( )

도식 9

4.

가장 훌륭한 시는 아직 쓰이지 않았다.

가장 아름다운 노래는 아직 불려지지 않았다.

최고의 날들은 아직 살지 않은 날들

가장 넓은 바다는 아직 항해되지 않았고

가장 먼 여행은 아직 끝나지 않았다.

불멸의 춤은 아직 추어지지 않았다.

가장 빛나는 별은 아직 발견되지 않은 별

무엇을 해야 할지 더 이상 알 수 없을 때

그때 비로소 진정한 무엇인가를 할 수 있다.

어느 길로 가야 할지 더 이상 알 수 없을 때

그때가 비로소 진정한 여행의 시작이다.

—나짐 하크메트, 〈진정한 여행〉

인생의
절정 ⇒ (   ) ⇒ 아직 쓰여지지 않은 시
아직 불리지 않은 노래
아직 항해되지 않은 바다
아직 발견되지 않은 별 ⇒ 진정한 여행을
시작하라
(   )

도식 10

실전 문제 – 동시·동요·노랫말과 은유

1.

내가 채송화꽃처럼 조그마했을 때

꽃밭이 내 집이었지.

내가 강아지처럼 가양가양 돌아다니기 시작했을 때

마당이 내 집이었지

내가 송아지처럼 경중경중 뛰어다녔을 때

푸른 들판이 내 집이었지

내가 잠자리처럼 은빛 날개를 가졌을 때

파란 하늘이 내 집이었지.

내가 내가

아주 어렸을 때,

내 집은 많았지.

나를 키워 준 집은 차암 많았지

— 이준관, 〈내가 채송화꽃처럼 조그마했을 때〉

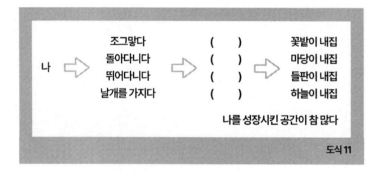

도식 11

2.

나는 나는 갈 테야, 연못으로 갈 테야.

동그라미 그리러 연못으로 갈 테야.

나는 나는 갈 테야 꽃밭으로 갈 테야.

꽃봉오리 만지러 꽃밭으로 갈 테야.

나는 나는 갈 테야 풀밭으로 갈 테야.

파란 손이 그리워 풀밭으로 갈 테야.

— 강소천, 〈보슬비의 속삭임〉

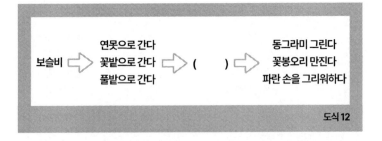

도식 12

3.

달 달 무슨 달,

쟁반같이 둥근 달.

어디어디 떴나,

남산 위에 떴지.

II.

달 달 무슨 달,

낮과 같이 밝은 달.

어디어디 비추나,

우리 동네 비추지.

달 달 무슨 달,

거울 같은 보름달.

무엇무엇 비추나,

우리 얼굴 비추지.

—윤석중 작사·권길상 작곡, 〈달〉

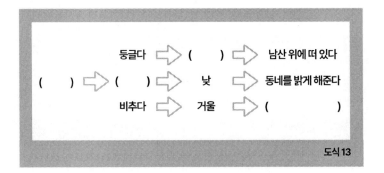

도식 13

4.

엄마, 깨진 무릎에 생긴

피딱지 좀 보세요.

까맣고 단단한 것이 꼭

잘 여문 꽃씨 같아요.

한번 만져 보세요.

그 속에서 뭐가 꿈틀거리는지

자꾸 근질근질해요.

새 움이 트려나 봐요.

—신형건, 〈봄날〉

피딱지 ⇨ (   ) ⇨ 잘 여문 꽃씨 ⇨ (   )

도식14

II.

5.

깊은 산 오솔길 옆 자그마한 연못엔

지금은 더러운 물만 고이고 아무것도 살지 않지만

먼 옛날 이 연못엔 예쁜 붕어 두 마리

살고 있었다고 전해지지요 깊은 산 작은 연못

어느 맑은 여름날 연못 속에 붕어 두 마리

서로 싸워 한 마리는 물 위에 떠오르고

여린 살이 썩어 들어가 물도 따라 썩어 들어가

연못 속에선 아무것도 살 수 없게 되었죠

깊은 산 오솔길 옆 자그마한 연못엔

지금은 더러운 물만 고이고 아무것도 살지 않죠

— 김민기 작사·작곡, 〈작은 연못〉 부분

도식 15

실전 문제-광고와 은유

1.

코오롱스포츠의 등산화 광고 두 편. 첫 번째 광고에는 독수리의 발과 코오롱스포츠 등산화의 바닥이 병치, 즉 나란히 놓여 있다. "포획 본능, 강자의 발을 타고났다"라는 헤드라인이 그 두 개의 이미지를 연결시키고 있다. 어떤 먹이를 잡았을 때 결코 놓치지 않는 독수리의 발과 코오롱스포츠 등산화 밑바닥의 기능이 유사하다는 것이므로 은유적 표현에 해당한다. 두 번째 광고에는 문어의 발과 코오롱스포츠 등산화의 발바닥이 병치되어 있다. "흡착 본능, 바닥부터 다르다"라는 헤드라인으로 연결된 두 사물이 흡착이라는 측면에서 유사하다는 것이므로 역시 은유적 표현이다.[1]

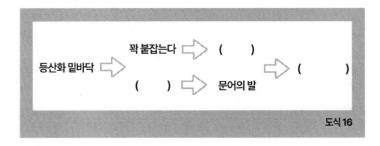

2.

플라스틱 ⇒ (   ) ⇒ 생태계를
파괴하는 괴물 ⇒ (   )

도식 17

실전 문제 - 예술과 은유

1.

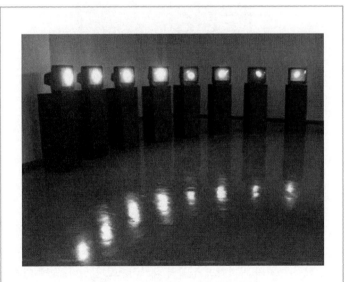

백남준, '달은 가장 오래된 TV다', 1965~1967

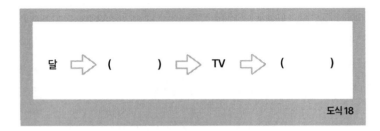

2.

이 작품은 초기 바니타스 정물의 대표작으로 꼽힌다. 꽃병 따위를
올려놓은 벽의 오목한 부분(니치)에 두개골이 놓여 있다. 그 위로 파

리 한 마리가 한가로이 노닐며 무상함을 더해준다. 중세 때 트란지를 뜯어먹던 벌레와 뱀(Fauna) 따위가 저 조그만 곤충으로 변한 것이리라. 턱뼈가 이미 빠져 그 옆에 나란히 놓여 있다. 인체가 점차 해체되어 가는 과정의 상징적 표현이다. 그 앞으로 기다란 촛대가 보인다. 점차 짧아지는 저 양초는 물론 점점 줄어드는 시간을 상징한다. 오른쪽에 있는 메모판에 한 장의 종이가 압정으로 부착되어 있고, 거기에 뭔가 적혀 있다. 고대 로마의 에피쿠루스 학파, 루크레티우스의 말이다. "모든 것이 죽음과 더불어 썩어지고, 죽음은 사물의 마지막 경계선이다."

초기 바니타스가 대개 그러하듯이, 이 작품도 티시에르(Jane-Loyse Tissier)라는 사람의 초상화 뒷면에 그려진 것이다. 말하자면 그의 생전의 모습과 두개골이 그림의 앞뒷면을 이루는 셈이다.[2]

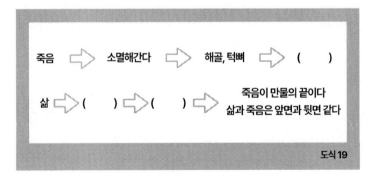

도식 19

3.

꺼져라, 꺼져, 덧없는 촛불아!

인생은 한낱 걸어 다니는 그림자에 불과한 것.

제시간이 되면 무대 위에서 뽐내며 시끄럽게 떠들지만

어느덧 사라져 더는 들리지 않는구나.

그것은 바보가 지껄이는 이야기

소음과 광기로 가득 차 있으니

아무런 의미도 없구나

— 윌리엄 셰익스피어, 《멕베스》 부분

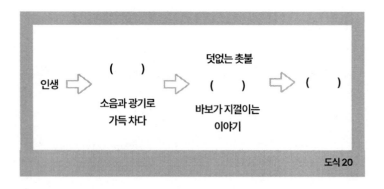

도식 20

실전 문제 - 인문학과 은유

1.

지금까지 학문에 종사하는 사람들은 경험에만 의존했거나 독단을 휘두르는 사람들이었다. 경험론자들은 개미처럼 오로지 모아서 사용하고, 독단론자들은 거미처럼 자기 속을 풀어서 집을 짓는다. 그러나 꿀벌은 중용을 취해 뜰이나 들에 핀 꽃에서 재료를 구해다 자신의 힘으로 변화시켜서 소화한다. 참된 철학의 임무는 바로 이와 비슷하다. 참된 철학은 오로지 (혹은 주로) 정신의 힘에만 기댈 것도 아니요, 자연지나 기계적 실험을 통해 얻은 재료를 가공하지 않은 채로 기억 속에 비축할 것도 아니다. 그것을 지성의 힘으로 소화해야 하는 것이다. 그러므로 이 두 가지 능력(경험의 능력과 이성의 능력)이 지금까지 시도되었던 것보다 더 긴밀하고 순수하게 결합된다

면 (아직은 아니지만) 좋은 결과가 나올 것이 틀림없으므로 이것으로

희망의 근거를 삼아도 좋다.**3**

— 프랜시스 베이컨, 《신기관》

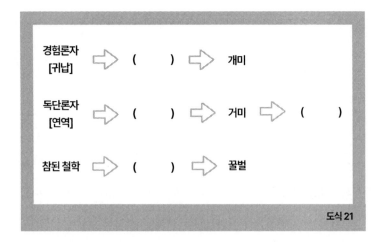

도식 21

2.

송나라 사람으로 술을 파는 자가 있었는데 매우 공정하고 손님을

대우하는 것도 대단히 삼갔으며, 술을 만드는 재주가 대단히 뛰어

났다. 또 그는 깃발을 매우 높이 내걸어 깃발이 뚜렷이 보였다. 하

지만 술이 팔리지 않아 늘 쉬었다. 그 이유를 이상히 여겨 평소 알고

지내던 마을 어른 양천陽傽에게 물었다.

양천이 말하였다.

"당신네 개가 사납구려!"

[술집 주인이] 말하였다.

"개가 사나운데 술은 어찌하여 팔리지 않는 것입니까?"

[양천이] 말하였다.

"사람들이 두려워하기 때문이요. 어떤 사람이 어린 자식을 시켜 돈을 주고 호리병에 술을 받아오게 하면, 개가 달려와서 그 아이를 물 것이오. 이것이 술이 팔리지 않고 쉬는 이유요."

무릇 나라에도 이처럼 개와 같은 자들이 있다. 도道를 아는 인사가 나라를 다스리는 술術을 품고 만승의 군주에게 밝히려고 하는데, 대신이 사나운 개가 달려들어 그를 물어뜯는다면 이것이 군주가 [이목이] 가려지고 위협을 당하는 원인이며, 도를 알고 있는 인사가 등용되지 못하는 까닭이다.[4]

—《한비자》

도식 22

3.

인간은 자연에서 가장 연약한 한 줄기 갈대일 뿐이다. 그러나 그는 생각하는 갈대이다. 그를 박살내기 위해 전 우주가 무장할 필요가 없다. 한번 뿜은 증기, 한 방울의 물이면 그를 죽이기에 충분하다. 그러나 우주가 그를 박살낸다 해도 인간은 그를 죽이는 것보다 더 고귀할 것이다. 인간은 자기가 죽는다는 것을, 그리고 우주가 자기보다 우월하다는 것을 알기 때문이다. 우주는 아무것도 모른다.

그러므로 우리의 모든 존엄성은 사유로 이루어져 있다. 우리가 스스로를 높여야 하는 것은 여기서부터이지, 우리가 채울 수 없는 공간과 시간에서가 아니다. 그러니 올바르게 사유하도록 힘쓰자. 이것이 곧 도덕의 원리이다.[5]

—파스칼,《팡세》

인간 ⇒ (　　　) ⇒ 생각하는 갈대 ⇒ (　　　　)

도식 23

4.

어떤 경우에도 너 자신을 철학자라고 부르지 말고, 또 비전문가들 [비철학자들] 사이에서는 철학적 원리들에 관하여 너무 많은 것을 말하지 말라. 하지만 철학적 원리들에서 따라 나오는 것들을 행하라. 예를 들면, 주연에서는 어떻게 먹어야 하는지 말하지 말고, 마땅히 해야만 하는 대로 먹어라. (……)

왜냐하면 내가 소화하지 못한 것을 즉각적으로 토할 수 있는 큰 위험이 있기 때문이다. (……) 또한 양들은 그들이 얼마나 먹었는지를 양치기들에게 보여주기 위하여 그들에게 [자신들의] 꼴을 가져오지 않으며, 그들이 그 꼴[먹이]을 자신 안에서 소화한 다음에 자신의 바깥으로 털과 젖을 내보내기 때문이다. 그러므로 너 또한 철학적 원리들을 비전문가들에게 보이지 말고, 오히려 소화된 그것들[철학적 원리들]로부터 나온 그 행위들을 보이라.[6]

— 에픽테토스, 《엥케이리디온》

도식 24

5.

모름지기 군주는 짐승의 방법과 인간의 방법, 두 가지 모두를 잘 알아둘 필요가 있다. 고대의 저술가들은 아킬레우스와 다른 많은 고대 군주들이 반인반수인 키론에게 맡겨져 그의 가르침으로 양육되었다고 말함으로써, 이를 비유적으로 가르쳤다. 반인반수의 스승을 가졌다는 얘기는, 군주는 두 본성 모두를 사용하는 방법을 알아야만 한다는 것을 의미한다. 어느 한쪽이 없는 다른 한쪽은 오래 지속될 수 없다.

군주는 짐승의 방법을 잘 알아야 하는데, 그 가운데서도 여우와 사자를 선택적으로 따라야 한다. 사자는 함정으로부터 자신을 지키기 어렵고 여우는 늑대로부터 자신을 지킬 수 없기 때문이다. 따라서 함정을 식별하기 위해서는 여우가 될 필요가 있고 늑대를 혼내 주

II.

기 위해서는 사자가 될 필요가 있다. 단순히 사자의 방법에만 의존하는 사람은 이 사태를 제대로 이해하지 못하는 것이다.[7]

—마키아벨리, 《군주론》

군주의 덕목 ⇨ ( ) ⇨ 사자 ⇨ ( )
( ) ⇨ 여우

도식 25

은유적 사고는 인간의 가장 보편적 사고형식 가운데 하나이기 때문에 고대에도 이미 회화, 조각, 음악, 무용과 같은 비언어적 예술 영역에서 은유적 사고를 담은 표현물이 나타났다. 대표적 예가 고대 이집트 제4왕조기원전 2613~기원전 2500에 만들어진 스핑크스Sphinx와 메소포타미아의 아시리아 시대기원전 1100~기원전 612에 수호신이었던 라마수Lamassu 석상이다.

카프레왕의 스핑크스(기원전 2550년경)　　　　　사진 1

　당신도 알다시피, 스핑크스는 사람의 머리에 사자의 몸통을 하고 있고, 라마수 역시 사람의 머리에 황소의 몸을 갖고 있다. 〈사진 1〉은 이집트의 기제Gizeh에 있는 제4왕조 카프레Kahfre, 기원전 2558~기원전 2532 재위왕의 피라미드에 딸린 스핑크스의 모습이다. 길이 약 70m, 높이 약 20m, 얼굴 너비 약 4m나 되는, 현존하는 스핑크스 중 가장 크고 오래된 것으로 알려진 이 석조물은 카프레왕의 얼굴에 몸통은 사자다. 각각 카프레왕의 지혜로움과 용맹함을 형상화한 것이다. 요컨대 기제의 스핑크스는 '카프레왕

은 지혜롭고 용맹스러운 사자'라는 은유적 사고에서 나온 창의
적 산물이다.

두르샤루킨의 라마수(기원전 721~기원전 705)　　사진 2

〈사진 2〉는 신아시리아 시대기원전 900년경~기원전 612년경의 고대
도시 두르샤루킨Dur Sharrukin에서 발견된 라마수상이다. 파리 루브
르 바물관이 보관하고 있는 높이가 4m나 되는 이 석회암 석상의
얼굴은 도시의 건설자인 사르곤 2세Sargon II, 기원전 721~기원전 705 재
위의 모습이고, 몸통은 다리가 다섯 개인 황소다. 옆구리에는 새

의 날개도 새겨져 있다. 이 역시 사르곤왕의 지혜로움과 강력하고 날렵함을 형상화한 것이다. 그렇다면 두르샤루킨의 라마수는 '사르곤왕은 지혜롭고 강력하고 날렵한 황소'라는 은유적 사고에서 나온 창의적 표현이 아니겠는가. 각각을 도식화하면 아래와 같다

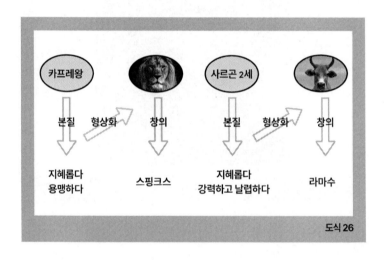

도식 26

실전 문제 – 사회과학과 은유

1.

현대(성)는 설계 강박증과 설계 중독에 빠진 상태이다. 설계가 있는 곳에 쓰레기도 있다. 어떤 집도 공사 현장에 남겨진 원치 않는 쓰레기들을 쓸어버려 깨끗해지기 전에는 완공된 것이 아니다.

그런데 인간적 결속의 형태를 설계하는 것이 문제가 될 때는 인간이 쓰레기가 된다. 설계된 형태에 맞지 않거나 앞으로 맞지 않게 될 일부 사람들이 바로 그들이다. 또한 설계의 순수성을 더럽히고 그로 인해 투명성을 흐리게 할 사람들. 정체 모를 오드라데크Odradek나 고양이와 양의 교배종 같은 카프카의 괴물과 돌연변이들—피상적인 포함/배제 범주에 도전하는 괴짜, 악당, 잡종들. 그들만 아니라면 우아하고 평온했을 풍경에 오점을 남기는 사람들. 흔적을 없애

거나 지워버림으로써만 설계된 형태가 보다 일관되고 조화롭고 안

전하고 전체적으로 더 안정감 있게 되는, 흠 있는 존재들.[8]

— 지그문트 바우만,《쓰레기가 되는 삶》

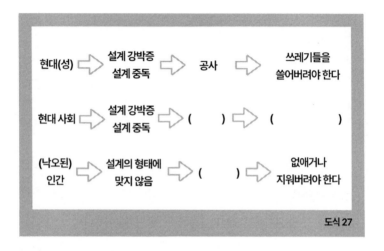

도식 27

2.

화폐를 통하여 나에게 존재하는 것, 내가 그 대가를 지불하는 것,

다시 말해서 화폐가 구매할 수 있는 것, 그것이 나, 화폐 소유자 자

신이다. 화폐의 힘이 클수록 나의 힘도 크다. 화폐의 속성들은 나

의 ― 화폐 소유자 ― 속성들이요 본질력들이다. 따라서 나의 존재

와 능력은 결코 나의 개성에 의해서 규정되지 않는다. 나는 못생긴 사람이지만 가장 아름다운 여자도 사들일 수 있다. 따라서 나는 추하지 않은데, 추함의 작용, 사람을 겁나게 하는 힘은 화폐에 의해서 없어지기 때문이다. 나는 ― 나 개인의 특성에서 보면 ― 절름발이지만, 화폐는 나에게 24개의 다리를 만들어 준다. 따라서 나는 절름발이가 아니다. 나는 사악하고 비열하고 비양심적이고 똑똑하지 못한 인간이지만 화폐는 존경받으며 따라서 화폐의 소유자도 존경받는다. 화폐는 최고의 선이며 따라서 그 소유자도 선하며 그 밖에도 화폐는 내가 비열하기 때문에 겪는 곤란에서 나를 벗어나게 한다. 따라서 나는 존경할만한 사람으로 여겨진다. (……)

셰익스피어는 화폐에서 두 가지 속성들을 특별히 부각시킨다:

1. 화폐는 눈에 보이는 신이며, 모든 인간적이고 자연적 속성을 그 반대의 것으로 전환시키는 것이요. 사물의 보편적 혼동과 전도이다. 그것은 불가능한 일들을 친근한 것으로 만든다.

2. 화폐는 보편적 창녀요, 인간과 국민들의 보편적 뚜쟁이이다.[9]

― 칼 마르크스, 《경제학-철학 수고》

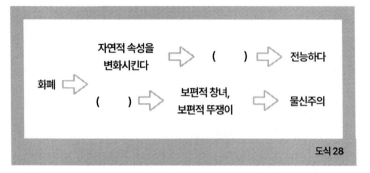

도식 28

3.

불안과 공포는 많은 금전적 이득의 원천이 될 수 있다. 가령 스티븐 그레이엄의 말처럼 "광고업자들은 테러리즘에 대한 널리 퍼진 공포를 교묘하게 활용해왔다. 그래서 수익률이 높은 SUV(스포츠 유틸리티 차량) 판매고를 높여 왔다." 이 기름 먹는 하마, 준 군사용인 괴물에 '스포츠 유틸리티 차량'이라는 이름은 전혀 잘못된 명명이다. 이 차는 한때 미국에서 판매되는 차량의 45퍼센트를 차지했으며, 도시의 일상생활을 '방어용 캡슐'이 넘치는 모습으로 만들어 놓았다. (……)

에두아르도 멘디에타는 미국인들이 갑자기 SUV(또는 '험머')에 홀딱 반한 현상이 주는 메시지를 분석하고 좀 더 신랄한 표현을 썼다.

"험머가 인기를 얻기 전에, 우리는 이미 독특하게 무장하고 콘크리트 정글과 도시의 아수라장을 헤쳐 나갈 수 있는 모습을 갖춘 자동차의 이미지를 갖고 있었다. 전장의 장갑차 이미지 말이다. 험머는 (……) 이미 나와 있었던 욕구에 적절히 부합했다. 불타는 도시, 1960년대 후반 같은 혼란에 빠져 질서가 무너져버린 도시 한가운데를 뚫고 달릴 수 있는 차 (……) SUV는 도시란 전장이며 정글이라는 것, 정복하고, 도주해야 한다는 것을 너무 지나치게 은밀하지 않게 가정하고, 암시하고 있다."[10]

— 지그문트 바우만,《유동하는 공포》

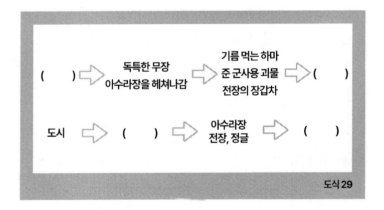

도식 29

4.

어느 현상을 암으로 묘사하는 일은 폭력을 선동하는 것이다. 정치
담론에서 암이라는 단어를 사용한다는 것은 숙명론을 조장할 뿐이
며, '가혹한' 조치를—질병은 죽음을 가져올 수밖에 없다는 널리 퍼
져 있는 관념을 훨씬 튼튼하게 강화해 주는 것만큼이나—정당화해
줄 뿐이다. 질병의 은유가 무해한 적은 한 번도 없긴 했지만, 암의
은유야말로 최악의 경우라고 말할 수 있을 것이다. 암의 은유는 잠
재적으로 집단 학살과 연관되어 있기 때문이다. 그 어떤 정치 세력
도 이 은유를 독점하지는 못했다.

트로츠키는 스탈린주의를 맑스주의의 암이라고 불렀다. 중국의 경
우 4인방은 말년에 가서 그 무엇보다도 "중국의 암"이 되어 버렸다.
존 딘은 닉슨에게 워터게이트를 이렇게 설명했다. "우리는 내부에
암을 갖고 있습니다.—대통령직과 가까운 곳에서—갈수록 자라나
고 있습니다." 아랍 분쟁에서 흔히 쓰이는 은유, 즉 지난 20년 동안
이스라엘인들이 매일 같이 라디오에서 듣게 된 은유는, 이스라엘이
"아랍 세계의 한가운데에 있는 암"이라든지, "중동의 암"이라는 은
유이다. 또한, 1976년 8월 탈 자아타르에 있던 팔레스타인 난민 수
용소를 포위 공격하고 있던 기독교계 레바논 극우 집단의 한 장교

는 이 수용소를 "레바논의 몸 속에 생겨난 암"이라고 부르기도 했다. 자신들의 분노를 드러내고자 하는 사람들이 암의 은유를 사용하는 일을 참아내기란 어려운 듯하다.[11]

— 수전 손택, 《은유로서의 질병》

(   ) ⇨ (   ) ⇨ 암 ⇨ **가혹한 조치가 필요하다**
집단 학살과 절멸이 정당하다

도식 30

실전 문제 - 자연과학과 은유

1.

풀밭을 걸어가다 돌 하나가 발에 채였다고 상상해 보자. 그리고 그
돌이 어떻게 거기에 있게 되었는지 의문을 품었다고 가정해 보자.
그것은 원래 거기에 놓여 있었다고 답할 수 있을 것이다. 그러나 돌
이 아니라 '시계'를 발견했다고 가정해 보자. 그리고 어떻게 그것이
그 장소에 있게 되었는지 답해야 한다면, 앞에서 했던 것 같은 대
답, 즉 잘은 모르지만 그 시계는 원래 거기에 있었다는 대답은 거의
생각할 수 없을 것이다. 시계와 같은 사물이 자연발생적으로 생겨
났다고 믿기는 너무나 어렵기 때문이다.

시계와 같은 복잡한 사물이 존재하기 위해선 제작자가 있어야 한
다. 그는 의도적으로 그것을 만들었다. 그는 시계의 제작법을 알

고 있으며 그것의 용도에 맞게 설계했다. 시계 속에 존재하는 설계의 증거, 그것이 설계되었다는 모든 증거는 자연의 작품에도 존재한다. 그런데 차이점은 자연의 작품(인간) 쪽이 상상을 초월할 정도로, 또는 그 이상으로 훨씬 더 복잡하다는 것이다.

— 윌리엄 페일리, '시계공 논증'

시계 ⇨ (   ) ⇨ 자연[세계] ⇨ 제작자가
있어야 한다

(   )

도식 31

2.

자갈이 깔린 해변을 걷다 보면 자갈들이 아무렇게나 널려 있는 것이 아님을 발견할 수 있을 것이다. 자갈들은 해안선을 따라가며 그 크기에 따라 각각 띠를 이루고 있다. 작은 자갈로 이루어진 띠가 있는가 하면 큰 자갈로 이루어진 띠도 있다. 그 자갈들은 분류되고 배열되고 선택된 것이다. 바닷가 근처의 원시인은 세상이 어떤 것을

분류하고 배열한다는 이 증거를 보고 신기하게 생각했을 것이며 아마도 그것을 설명할 신화를 만들어 냈을 것이다. 그리고 그 신화는 단정함을 좋아하는 하늘에 있는 '위대한 정신'에 관한 것일 게다.

우리가 그러한 미신을 듣는다면, 그러한 배열은 맹목적인 물리적인 힘, 즉 이 경우에는 파도의 작용에 따라 이루어진 것임을 설명할 것이다. 파도는 목적도 의도도 갖고 있지 않을 뿐만 아니라 단정함을 특별하게 좋아하지도 않는다. 아예 마음이라는 것 자체를 갖고 있지 않다. 파도는 단지 자갈들을 이리저리 굴릴 뿐이다. 큰 자갈과 작은 자갈들은 이 작용에 대해 나름대로의 방식으로 반응한다. 해변에 있는 자갈들이 크기대로 모여 띠를 이루는 것은 그 결과일 뿐이다. 비록 사소한 것이지만 무질서로부터 질서가 나왔으며, 이 과정에는 어떠한 마음도 개입하지 않았다.

—리처드 도킨슨, '눈먼 시계공 비유'

| 자연 ⇨ (|) ⇨ 눈먼 시계공 ⇨ (|) |

도식 32

실전 문제 – 정치와 은유

1.

미국 대통령 조지 W. 부시는 백악관에 입성하자마자 감세를 세금 감면tax cut이 아니라 세금 구제tax relief라는 용어로 대체하여 사용했다. 이 말은 그 해 국정 연설에서 여러 번 등장했고, 4년 뒤 선거 유세에서는 더욱 자주 등장하게 된다.[12]

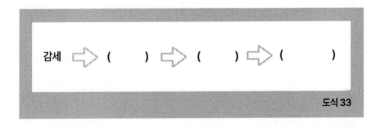

도식 33

2.

세금은 미국에 속한 한 구성원으로서 납부하는 회비이다. 우리는 컨트리클럽이나 스포츠 센터에 등록하면 회비를 낸다. 왜? 그것은 내가 지은 수영장이 아니지만, 누군가는 이것을 유지한다. 내가 지은 배구장도 아니지만, 누군가는 여기를 청소해야 한다. 나는 스쿼시장을 이용하지 않을 수도 있지만 그래도 회비를 낸다. 그렇지 않으면 이것들은 유지될 수 없고 무너지고 말 것이기 때문이다.[13]

(   ) ⇨ **소속된 공동체 유지 재원** ⇨ (   ) ⇨ (   )

도식 34

3.

9.11 테러 이후에 부시 행정부와 우익 선전 기구는 '테러와의 전쟁'을 선동하기 시작했다. '전쟁'과 연결된 개념적 프레임은 군대와 전

투, 도덕적 십자군, 총사령관, 영토의 점령, 적의 항복, 부대를 지원하는 애국자라는 의미 역할들을 가지고 있다. '전쟁'은 군사적 행동의 필요성을 암시한다. 전쟁을 수행 중일 때 다른 관심사는 이차적이다.

'테러'에 '전쟁'이 더해질 때, '테러'가 대치하는 적이 되는 은유가 생겨난다. 다른 어떤 전쟁에서와 마찬가지로 '테러와의 전쟁'에서도 적은 제압해야 한다. (......) 단순히 전쟁 중이라는 것만으로도 시민들은 두려움을 느끼게 되고, 그 프레임의 반복은 더 많은 두려움을 야기한다. 그래서 '테러와의 전쟁'에는 끝이 없다. 감정은 영원히 체포하거나 굴복시킬 수 없기 때문이다.

'테러와의 전쟁' 프레임의 전략적 강점은 '전쟁'이 또한 헌법 제2조를 환기하고, 총사령관으로서의 대통령에게 방대한 권한을 부여한다는 점이다. 이 프레임 덕택에 군대는 본질적으로 경찰 역할, 즉 범죄자를 법정에 세우는 역할을 수행할 수 있다. 이 프레임은 정당한 절차를 부정한다. 전쟁 중에 적은 죄인이며, 따라서 쏘아 죽여야 한다고 가정하기 때문이다.[14]

(   ) ⇨ 반드시 ⇨ (   ) ⇨ 군사적 행동이 필요하다
제압해야 한다   군대가 경찰 역할을 한다
적은 죄인이며 죽여야 한다

도식 35

4.

마틴 루서 킹 목사의 연설

나는 오늘 '새로운 국가의 탄생'이라는 주제를 가지고 설교하고자 합니다. 그리고 나는 다음 세대 사람들의 마음에 오랫동안 기억될 이야기를 우리가 함께 생각해보는 것을 좋아합니다. 그것은 집단 대탈출Exodus 이야깁니다. 집단 대탈출은 이스라엘인들이 역경을 헤치고 이집트의 구속으로부터 탈출해서 마침내 약속된 땅에 도착하는 이야기입니다. 모세의 노력과 이집트를 탈출하고자 애쓰는 추종자들의 헌신, 그것은 아름다운 이야기입니다. 그들은 황무지를 지나 마침내 약속된 땅으로 향합니다. 이것은 자유를 갈망하는 모든 사람들의 이야기입니다.(1957년 4월 7일)

그들은 이집트의 식민지로부터의 냉대에서 벗어나, 지금 그들은 문화적 통합의 약속된 땅을 향하여 황무지에 적응하며 이동하고 있습니다.(1957년 4월 7일)

그들은 약속된 땅으로 이동하여 황무지에서의 고난을 알고 나서, 그들은 약속된 땅에 들어가는 것이 힘들기 때문에 차라리 이집트 폭군에게로 다시 돌아가는 것이 낫다고 여깁니다.(1957년 11월 17일)

모세는 가나안 땅을 보지 못했지만 그의 아이들은 그것을 볼 것입니다. 그는 그것을 충분히 볼 수 있는 산마루에 올랐고 그는 곧 그것을 볼 것을 확신했었습니다.(1957년 4월 7일)

억압과 불평등에서 해방 $\Rightarrow$ 대탈출 (Exodus) $\Rightarrow$ (   )

(   ) $\Rightarrow$ 억압과 불평등에서 해방

도식 36

해답

시와 은유

1 (소멸해 간다), (삶을 더욱 사랑하게 되리라)

2 (막막하다[두렵다]), (함께 걸어가자[연대하자])

   (나갈 방향을 제시한다), (삶의 구원)

3 (서로 연결되어 있다), (죽음을 남의 일로 여기지 마라)

4 (미래는 가능성으로 충만하다), (앞날을 두려워 말고 도전하자)

동시 · 동요 · 노랫말과 은유

1 (채송화), (강아지), (송아지), (잠자리)

2 (사람)

3 (달), (쟁반)

   (밝다)

   (우리 얼굴을 비춘다)

4 (까맣고 단단하다), (새로운 생명[새살, 새 움]이 태어나다)

5 (여러 개체가 모여 산다), (서로 다투면 함께 망한다), (타인의 고통은 내 고통
으로 돌아온다)

광고와 은유

1 (독수리의 발), (미끄러지지 않는다, 등산할 때 안전하다)
   (흡착된다)

2 (생물을 멸종시킨다), (플라스틱 소비를 줄이자)

예술과 은유

1 (모두 매일 쳐다본다), (뭔가를 느끼고 생각하고 즐긴다)

2 (모두가 죽는다는 것을 기억하라)
   (점점 짧아진다), (양초)

3 (어느덧 사라진다), (걸어다니는 그림자), (아무런 의미도 없다)

인문학과 은유

1 (주변에서 모은다), (경험의 능력과 이성의 능력을 결합하자)
   (자기 속에서 풀어낸다)
   (경험적 자료를 이성적으로 분석)

2 (흉포한 신하), (주위 사람을 내쫓는다)

3 (연약하지만 자기인식이 가능하다), (고귀하고 존엄하다, 올바르게 사유하자)

4 (말이 아니고 행위로 보여줘야 한다), (철학적 행위를 통해 유익함을 낳아야
   한다)

5 (강한 힘), (군주는 강한 힘과 지혜를 가져야 한다)
   (지혜로움)

사회과학과 은유

1 (공사 현장), (인간 쓰레기를 없애거나 지워버려야 한다)
   (쓰레기, 카프카의 괴물, 돌연변이)

2 (눈에 보이는 신)
   (불가능한 것을 가능케 한다)

3 (SUV 차량), (정복하고 도주하게 한다)
(혼란스럽고 무질서하다), (SUV 차량이 안전을 지킨다)

4 (적), (유해하다, 죽음을 가져온다)

자연과학과 은유

1 (제작자가 있어야 한다), (신이 존재한다)

2 (목적/마음이 없다), (신은 존재하지 않는다)

정치와 은유

1 (세금은 고통이다), (세금 구제), (세금을 없애주는 자는 영웅, 이를 방해하는
자는 악당)

2 (세금), (스포츠 센터 회비), (납세는 국민의 의무다)

3 (테러 진압), (전쟁)

4 (시민권 운동), (신이 약속한 자유롭고 평등한 땅)

주

1 엄창호, 《광고의 레토릭》, 한울, 2009, 160쪽.

2 진중권, 《춤추는 죽음1》, 세종서적, 2008, 255~256쪽.

3 프랜시스 베이컨, 진석용 옮김, 《신기관》, 한길사, 2001, 107~108쪽.

4 한비자, 김원중 옮김, 《한비자》, 휴머니스트, 2016, 633쪽.

5 블레즈 파스칼, 이환 옮김, 《팡세》, 민음사, 2003, 213쪽.

6 에픽테토스, 김재홍 옮김, 《엥케이리디온》, 까치, 2003, 77~78쪽.

7 니콜로 마키아벨리, 박상훈 옮김, 《군주론》, 후마니타스, 2014, 278쪽.

8 지그문트 바우만, 정일준 옮김, 《쓰레기가 되는 삶》, 새물결, 2008, 64~65쪽.

9 칼 마르크스, 강유원 옮김, 《경제학-철학 수고》, 이론과실천, 2006, 176~178쪽.

10 지그문트 바우만, 함규진 옮김, 《유동하는 공포》, 산책자, 2009, 234~235쪽.

11 수전 손택, 이재원 옮김, 《은유로서의 질병》, 이후, 2002, 119~120쪽.

12 조지 레이코프, 유나영 옮김, 《코끼리는 생각하지 마》, 삼인, 2006, 24쪽 참조.

13 같은 책, 63쪽.

14 조지 레이코프, 나익주 옮김, 《프레임 전쟁》, 창비, 2007, 51~52쪽.

북클럽 은유-특별 부록

은유 워크북

지은이   김유림·김창한
감수   김용규

2023년 6월 23일 초판 1쇄 발행

책임편집 김창한
기획편집 선완규 김창한
마케팅   신해원
디자인   형태와내용사이

펴낸곳   천년의상상
등록   2012년 2월 14일 제2020-000078호
전화   031-8004-0272
이메일   imagine1000@naver.com
블로그   blog.naver.com/imagine1000

ⓒ 김유림·김창한 2023

ISBN   979-11-90413-59-6 03100